中国工程建设协会标准

插合自锁卡簧式管道连接
技 术 规 程

Technical specification for push-fit self-lock connection

CECS 383：2015

主编单位：悉地国际设计顾问（深圳）有限公司
　　　　　广东捷荣管道科技发展有限公司
批准单位：中国工程建设标准化协会
施行日期：２０１５年７月１日

中国计划出版社

2015　北　京

中国工程建设协会标准
插合自锁卡簧式管道连接
技 术 规 程
CECS 383:2015

☆

中国计划出版社出版

网址:www.jhpress.com

地址:北京市西城区木樨地北里甲11号国宏大厦C座3层
邮政编码:100038 电话:(010)63906433(发行部)

新华书店北京发行所发行

廊坊市海涛印刷有限公司印刷

850mm×1168mm 1/32 1.875印张 43千字
2015年6月第1版 2015年6月第1次印刷
印数1—2080册

☆

统一书号:1580242·692
定价:21.00元

版权所有 侵权必究

侵权举报电话:(010)63906404
如有印装质量问题,请寄本社出版部调换

中国工程建设标准化协会公告

第 194 号

关于发布《插合自锁卡簧式管道连接技 术 规 程》的公告

根据中国工程建设标准化协会《关于印发〈2013年第一批工程建设协会标准制订、修订计划〉的通知》(建标协字〔2013〕第057号)的要求,由悉地国际设计顾问(深圳)有限公司、广东捷荣管道科技发展有限公司等单位编制的《插合自锁卡簧式管道连接技术规程》,经本协会建筑与市政工程产品应用分会组织审查,现批准发布,编号为 CECS 383：2015,自 2015 年 7 月 1 日起施行。

中国工程建设标准化协会
二〇一五年三月二十三日

前言

根据中国工程建设标准化协会《关于印发〈2013 年第一批工程建设协会标准制订、修订计划〉的通知》(建标协字〔2013〕第 057 号)的要求,制定本规程。

本规程的主要内容包括:总则、术语、管件和管材、设计、施工及验收、管道维修。

本规程由中国工程建设标准化协会建筑与市政工程产品应用分会归口管理,由悉地国际设计顾问(深圳)有限公司负责解释(上海市康健路 138 号 CCDI 大楼,邮编 200235)。在使用过程中如有需要修改或补充之处,请将意见和资料径寄解释单位。

主 编 单 位:悉地国际设计顾问(深圳)有限公司
　　　　　　广东捷荣管道科技发展有限公司
参 编 单 位:中国建筑设计院有限公司
　　　　　　中国建筑金属结构协会给水排水设备分会
　　　　　　中国建筑西北设计研究院有限公司
　　　　　　广东省建筑设计研究院
　　　　　　湖南大学土木工程学院
　　　　　　中航规划建设长沙设计研究院有限公司
　　　　　　福建省建筑设计研究院
　　　　　　中国建筑东北设计研究院有限公司
　　　　　　同济大学建筑设计研究院(集团)有限公司
　　　　　　安徽省建筑设计研究院有限责任公司
　　　　　　江西省建筑设计研究总院
　　　　　　上海建工四建集团有限公司工程设计研究院
　　　　　　青岛理工大学设计院

深圳市皇城地产有限公司
江苏太阳雨太阳能股份有限公司
卓展工程顾问有限公司
北京业之峰诺华装饰股份有限公司

主要起草人：黎莲威　吕　晖　赵　锂　陈怀德　华明九
郑大华　刘西宝　符培勇　程宏伟　袁玉梅
李天如　刘德军　归谈纯　王　浩　邓晓斌
孙　慧　张海宇　王　竹　晏　风　窦建清
李国超　黎展云　武　强　姜文源　刘彦菁
胡天星　刘祖亚　周莉莉

主要审查人：赵力军　王　炯　方玉妹　王　峰　郑克白
黄建设　刘建华　刘杰茹　罗定元　杨镇文
孙　钢　赵　春

目　　次

1 总　　则 …………………………………………………………（1）
2 术　　语 …………………………………………………………（2）
3 管件和管材 ………………………………………………………（3）
　3.1 一般规定 …………………………………………………（3）
　3.2 不锈钢插锁式管件及管材 ………………………………（3）
　3.3 不锈钢插锁式管件及内衬（覆）不锈钢复合管管材 ……（5）
　3.4 铜插锁式管件及管材 ……………………………………（6）
　3.5 钢塑复合插锁式管件及管材 ……………………………（6）
　3.6 球墨铸铁插锁式管件及管材 ……………………………（7）
　3.7 塑料插锁式管件及管材 …………………………………（8）
　3.8 钢插锁式镀锌管件（含碳钢管件）及管材 ………………（9）
　3.9 插锁式管件分类及其部件材质选用 ……………………（10）
4 设　　计 …………………………………………………………（14）
　4.1 一般规定 …………………………………………………（14）
　4.2 管道的布置与敷设 ………………………………………（15）
5 施工及验收 ………………………………………………………（16）
　5.1 一般规定 …………………………………………………（16）
　5.2 施工准备 …………………………………………………（17）
　5.3 管道敷设 …………………………………………………（17）
　5.4 管道连接 …………………………………………………（19）
　5.5 验收 ………………………………………………………（25）
6 管道维修 …………………………………………………………（26）
附录A 不锈钢插锁式管件 ………………………………………（27）
附录B 其他插锁式管件（含带橡胶内托管件）…………………（30）

附录C 插锁式带塑内胆管件 ………………………………（34）
附录D 球墨铸铁插锁式管件 ………………………………（35）
本规程用词说明 ……………………………………………（36）
引用标准名录 ………………………………………………（37）
附：条文说明 ………………………………………………（39）

Contents

1 General provisions ·· (1)
2 Terms ·· (2)
3 Pipes and fittings ·· (3)
   3.1 General requirements ······································· (3)
   3.2 Stainless steel push-fit self-lock fittings and pipes ············ (3)
   3.3 Stainless steel push-fit self-lock fittings and lined or
       clad stainless steel pipe ···································· (5)
   3.4 Copper push-fit self-lock fittings and pipes ·················· (6)
   3.5 Lined steel push-fit self-lock fittings and pipes ··············· (6)
   3.6 Ductile iron push-fit self-lock fittings and pipes ·············· (7)
   3.7 Plastic push-fit self-lock fittings and pipes ··················· (8)
   3.8 Galvanized (including carbon steel) steel push-fit self-lock
       fittings and pipes ·· (9)
   3.9 Type and material setection for the component of push-fit
       self-lock fittings ··· (10)
4 Design ··· (14)
   4.1 General requirements ······································· (14)
   4.2 Pipeline layout and laying ··································· (15)
5 Installation and acceptance ···································· (16)
   5.1 General requirements ······································· (16)
   5.2 Preparation for installation ··································· (17)
   5.3 Laying of pipeline ·· (17)
   5.4 Connection of pipeline ······································· (19)
   5.5 Acceptance ·· (25)

6　Pipeline maintenance ··· (26)
Appendix A　Stainless steel push-fit self-lock
　　　　　　fittings ··· (27)
Appendix B　Other push-fit self-lock fittings (including
　　　　　　rubber inlay push-fit self-lock fittings) ······ (30)
Appendix C　Plastic inlay push-fit self-lock fittings ······ (34)
Appendix D　Ductile iron push-fit self-lock fittings ······ (35)
Explanation of wording in this specification ················· (36)
List of quoted standards ·· (37)
Addition: Explanation of provisions ···························· (39)

1 总　　则

1.0.1 为使采用插合自锁卡簧式连接方式的管道工程做到技术先进、经济合理、安全卫生、维护方便、确保质量，制定本规程。

1.0.2 本规程适用于新建、扩建、改建的公称压力小于或等于2.5MPa，公称尺寸小于或等于350mm的民用和工业建筑的给水排水管道系统。

1.0.3 插合自锁卡簧式连接管材及管件应符合国家现行有关标准的规定，且应具有国家认可的质量监督机构出具的产品质量检测合格报告。

1.0.4 插合自锁卡簧式管道连接工程的设计、施工及验收，除应执行本规程外，尚应符合国家现行有关标准的规定。

2 术　　语

2.0.1 插合自锁卡簧式连接　　push-fit self-lock connection

将连接的管道插入插合自锁卡簧式管件,利用管件内卡簧自行锁紧,并满足密封要求的一种管道连接方式,简称插锁式连接。

2.0.2 插合自锁卡簧式管件　　push-fit self-lock fittings

用于管道系统插合自锁卡簧式连接的管件,由钢卡簧圈、外定位套圈、定位圈和密封圈等配件组成,简称插锁式管件。

3 管件和管材

3.1 一般规定

3.1.1 插锁式管件可连接不锈钢管、钢塑复合管、金属复合管、镀锌钢管、焊接钢管、球墨铸铁管、铜管及塑料管等管材。

插锁式管件可采用不锈钢、碳钢、铜、球墨铸铁、塑料等材质制造。用于生活饮用水系统的管材和管件,除符合本规程第1.0.3条规定外,尚应符合国家现行相关检测标准的规定。

3.1.2 插锁式连接的管材及管件应有符合规定的标识。

3.1.3 插锁式管件应具有下列功能:

1 满足强度和刚度要求;
2 快速连接功能,且能抗拉拔力;
3 密封功能,在额定工作压力下不渗漏;
4 拆卸功能,借助专用工具能方便拆卸,并可重复使用;
5 有足够的过流断面。

3.1.4 插锁式管件的形式和组成应符合附录A、附录B、附录C、附录D的要求。

3.2 不锈钢插锁式管件及管材

3.2.1 不锈钢插锁式管件可用于不锈钢管的连接。

3.2.2 不锈钢材料的化学成分应符合现行国家标准《不锈钢和耐热钢 牌号及化学成分》GB/T 20878的规定。

3.2.3 不锈钢管材应符合现行国家标准《流体输送用不锈钢焊接钢管》GB/T 12771的规定。

3.2.4 采用不锈钢插锁式管件连接不锈钢管时,不锈钢管规格尺寸应符合表3.2.4-1和表3.2.4-2的规定,不锈钢管件承口规格应符合本规程附录 A 的规定。

表 3.2.4-1 不锈钢管 I 系列规格尺寸和允许偏差（mm）

公称尺寸 DN	管材外径	外径允许偏差	管材壁厚	壁厚允许偏差
15	16	±0.10	0.5	±0.05
20	20	±0.11	0.5	±0.06
25	25	±0.14	0.6	±0.06
32	32	±0.18	0.6	±0.07
40	40	±0.21	0.8	±0.08
50	50.8	±0.27	0.8	±0.08
65	63.5	±0.32	1.0	±0.10
80	76	±0.38	1.2	±0.12
100	101.6	±0.54	1.2	±0.13
125	125	±0.60	1.4	±0.14
150	159	±0.65	1.6	±0.15
200	219.1	±1.00	2.3	±0.16
250	273.1	±1.10	2.8	±0.2
300	323.9	±1.20	3.2	±0.25
350	355.6	±1.30	3.5	±0.3

注：I 系列规格按现行国家标准《流体输送用不锈钢焊接钢管》GB/T 12771 的规定。

表 3.2.4-2 不锈钢管 II 系列规格尺寸及允许偏差（mm）

公称尺寸 DN	管材外径	外径允许偏差	管材壁厚	壁厚允许偏差
15	15	±0.10	0.5	±0.05
20	22	±0.11	0.5	±0.06
25	28	±0.14	0.6	±0.06
32	35	±0.18	0.6	±0.07
40	42	±0.21	0.8	±0.08
50	54	±0.27	0.8	±0.08

续表3.2.4-2

公称尺寸DN	管材外径	外径允许偏差	管材壁厚	壁厚允许偏差
65	66.7	±0.32	1.0	±0.10
80	76.1	±0.38	1.2	±0.12
100	108	±0.54	1.2	±0.13
125	125	±0.60	1.4	±0.14
150	159	±0.65	1.6	±0.15

3.3 不锈钢插锁式管件及内衬(覆)不锈钢复合管管材

3.3.1 不锈钢插锁式管件可用于内衬(覆)不锈钢复合钢管的连接。

3.3.2 内衬(覆)不锈钢复合钢管的规格尺寸应符合表3.3.2的规定,不锈钢管件承口规格应符合本规程附录B及附录C的规定。

表3.3.2 内衬(覆)不锈钢复合钢管规格尺寸(mm)

公称尺寸DN	外径	不锈钢衬(覆)层最小厚度	复合管壁厚	复合管外径允许偏差
15	21.3	0.25	1.75	±0.5
20	26.9	0.25	1.75	±0.5
25	33.7	0.25	1.75	±0.5
32	42.4	0.30	1.80	±0.5
40	48.3	0.35	1.85	±0.5
50	60.3	0.35	1.85	±1.0
65	76.1	0.40	1.90	±1.0
80	88.9	0.45	2.05	±1.0
100	114.3	0.50	2.30	±1.0
125	139.7	0.50	2.30	±1.0
150	168.3	0.60	2.60	±1.0
200	219.1	0.70	3.00	±1.0
250	273.1	0.80	3.60	±1.1
300	323.9	0.90	4.10	±1.2
350	355.6	1.00	4.50	±1.3

3.4 铜插锁式管件及管材

3.4.1 铜插锁式管件可用于铜管连接。

3.4.2 黄铜管件可采用 HPb-59-1,紫铜管件及管材可采用的铜材牌号为 TP2。

3.4.3 铜管材应符合现行国家标准《无缝铜水管和铜气管》GB/T 18033 的规定。

3.4.4 采用铜插锁式管件连接铜管时,使用的铜管规格尺寸应符合表 3.5.4 的规定,铜管件承口规格应符合本规程附录 B 的规定。

表 3.4.4 铜管规格尺寸（mm）

公称尺寸 DN	管材外径	外径允许偏差	管材壁厚	壁厚允许偏差
15	15	±0.10	0.7	±0.05
20	22	±0.11	0.9	±0.06
25	28	±0.14	0.9	±0.06
32	35	±0.18	1.2	±0.07
40	42	±0.21	1.2	±0.08
50	54	±0.27	1.2	±0.08
65	66.7	±0.32	1.5	±0.10
80	76.1	±0.38	1.5±	0.12
100	108	±0.54	1.5	±0.13

3.5 钢塑复合插锁式管件及管材

3.5.1 钢塑复合插锁式管件可用于钢塑复合管的连接。

3.5.2 焊接钢管、镀锌钢管应符合现行国家标准《焊接钢管尺寸及单位长度重量表》GB/T 21835 和《无缝钢管尺寸、外形、重量及允许偏差》GB/T 17395 的规定。

3.5.3 钢塑复合管应符合现行国家标准《钢塑复合管》GB/T 28897 的规定。

3.5.4 采用外镀锌内衬塑复合钢管、外镀锌内涂塑复合钢管、外复塑内衬塑复合钢管、外涂塑内衬塑复合钢管、内外涂塑复合钢管等钢塑复合管时,钢体部分使用规格尺寸应符合表 3.5.4 的规定,钢塑复合自锁式管件承口规格应符合本规程附录 B 及附录 C 的规定。

表 3.5.4 钢塑复合管钢管钢体部分规格尺寸（mm）

公称尺寸 DN	管材外径	外径允许偏差	管材壁厚	壁厚允许偏差
15	21.3	±0.5	1.5	±0.10
20	26.9	±0.5	1.5	±0.10
25	33.7	±0.5	1.5	±0.10
32	42.4	±0.5	1.5	±0.10
40	48.3	±0.5	1.5	±0.10
50	60.3	±1.0	1.5	±0.10
65	76.1	±1.0	1.5	±0.10
80	88.9	±1.0	1.6	±0.10
100	114.3	±1.0	1.8	±0.10
125	139.7	±1.0	1.8	±0.10
150	168.3	±1.0	2.0	±0.10
200	219.1	±1.0	2.3	±0.10
250	273.1	±1.1	2.8	±0.20
300	323.9	±1.2	3.2	±0.25
350	355.6	±1.3	3.5	±0.30

3.5.5 钢塑复合管衬塑厚度、覆塑层厚度、涂塑层厚度应符合现行国家标准《钢塑复合管》GB/T 28897 的有关规定。

3.6 球墨铸铁插锁式管件及管材

3.6.1 球墨铸铁插锁式管件可用于球墨铸铁管的连接。

3.6.2 球墨铸铁管应符合现行国家标准《水及燃气管道用球墨铸铁管、管件和附件》GB/T 13295 的规定。

3.6.3 采用球墨铸铁插锁式管件连接球墨铸铁管时,球墨铸铁管的规格尺寸应符合表 3.6.3 的规定,球墨铸铁管件承口规格应符合附录 D 的规定。

表 3.6.3 球墨铸铁管规格尺寸（mm）

公称尺寸 DN	管材外径	外径允许偏差	管材壁厚	壁厚允许偏差
80	98	−2.8～+1	4	±0.3
100	118	−2.8～+1	4	±0.3
125	144	−2.8～+1	4	±0.3
150	170	−2.9～+1	4	±0.3
200	222	−3～+1	4	±0.3
250	274	−3.1～+1	4	±0.3
300	326	−3.3～+1	5	±0.32
350	378	−3.4～+1	5.4	±0.34

3.7 塑料插锁式管件及管材

3.7.1 塑料插锁式管件可用于塑料管的连接。

3.7.2 插锁式连接用塑料管材,可采用铝塑复合管、聚乙烯(PE)管、交联聚乙烯(PEX)管、无规共聚聚丙烯(PP-R)管、丙烯腈-丁二烯-苯乙烯(ABS)管、氯化聚乙烯(PVC-C)管等。

3.7.3 塑料管材应符合下列规定:

　　1 铝塑复合管应符合现行国家标准《铝塑复合压力管 第 1 部分:铝管搭接焊式铝塑管》GB/T 18997.1 的规定;

　　2 聚乙烯(PE)管应符合现行国家标准《给水用聚乙烯(PE)管材》GB/T 13663 的规定;

3 交联聚乙烯(PEX)管应符合现行国家标准《冷热水用交联聚乙烯(PEX)管道系统 第2部分:管材》GB/T 18992.2的规定;

4 无规共聚聚丙烯(PP-R)管应符合现行行业标准《无规共聚聚丙烯(PP-R)塑铝稳态复合管》CJ/T 210的规定;

5 丙烯腈-丁二烯-苯乙烯(ABS)管应符合现行国家标准《丙烯腈-丁二烯-苯乙烯(ABS)压力管道系统 第1部分:管材》GB/T 20207.1的规定;

6 氯化聚氯乙烯(PVC-C)管应复合现行国家标准《自动喷水灭火系统 第19部分 塑料管道及部件》GB/T 5135.19的规定。

3.7.4 采用塑料插锁式管件连接塑料管材聚乙烯(PE)、无规共聚聚丙烯(PP-R)、交联聚乙烯(PEX)、丙烯腈-丁二烯-苯乙烯(ABS)、铝塑复合管时,管材规格尺寸应符合表3.7.4的规定。塑料管件的承口规格应符合附录B的规定。

表3.7.4 塑料管材规格尺寸 (mm)

公称尺寸DN	管材外径	管材壁厚
15	20	符合国家现行有关标准
20	25	
25	32	

3.8 钢插锁式镀锌管件(含碳钢管件)及管材

3.8.1 钢插锁式镀锌管件及插锁式碳钢管件可用于镀锌钢管、焊接钢管的连接。

3.8.2 镀锌钢管、钢管应符合现行国家标准《焊接钢管尺寸及单位长度重量表》GB/T 21835和《无缝钢管尺寸、外形、重量及允许偏差》GB/T 17395的规定。

3.8.3 插锁式镀锌管件连接镀锌钢管、焊接钢管时,除应符合国家现行标准外,镀锌钢管、焊接钢管规格尺寸应符合表3.8.3的规定。管件的承口规格尺寸应符合附录B的规定。

表3.8.3 镀锌钢管、焊接钢管规格尺寸（mm）

公称尺寸DN	管材外径	外径允许偏差	管材壁厚	壁厚允许偏差
15	21.3	±0.5	1.5	±0.10
20	26.9	±0.5	1.5	±0.10
25	33.7	±0.5	1.5	±0.10
32	42.4	±0.5	1.5	±0.10
40	48.3	±0.5	1.5	±0.10
50	60.3	±1.0	1.5	±0.10
65	76.1	±1.0	1.5	±0.10
80	88.9	±1.0	1.6	±0.10
100	114.3	±1.0	1.8	±0.10
125	139.7	±1.0	1.8	±0.10
150	168.3	±1.0	2.0	±0.10
200	219.1	±1.0	2.3	±0.10
250	273.1	±1.1	2.8	±0.2
300	323.9	±1.2	3.2	±0.25
350	355.6	±1.3	3.5	±0.3

3.8.4 钢管镀锌层应采用热浸镀锌,且应符合现行国家标准《低压流体输送用焊接钢管》GB/T 3091的规定。

3.9 插锁式管件分类及其部件材质选用

3.9.1 插锁式管件可按表3.9.1分类。

表 3.9.1 插锁式管件分类

管件名称	图示	代号	管件名称	图示	代号
直通 P×P P×R		P.F-1	中内螺纹三通 P×FI×P P×R×P		P.F-12
外螺纹接头 P×MI P×R		P.F-2	单边外螺纹三通 P×P×MI P×P×R		P.F-13
内螺纹接头 P×FI P×R		P.F-3	单边内螺纹三通 P×P×FI P×P×R		P.F-14
90°弯头 P×P P×R		P.F-4	四通 P×P×P×P P×R×P×R		P.F-15
90°外螺纹弯头 P×MI P×R		P.F-5	双边内螺纹四通 P×FI×P×FI P×R×P×R		P.F-16
90°内螺纹弯头 P×FI P×R		P.F-6	45°弯头 P×P		P.F-17
90°水嘴座 P×FI P×R		P.F-7	管塞 P		P.F-18

· 11 ·

续表 3.9.1

管件名称	图示	代号	管件名称	图示	代号
三通 P×R×P R×R×R		P.F-8	截止阀 P×P		P.F-19
中外螺纹三通 P×MI×P P×R×P		P.F-9	闸阀 P×P		P.F-20
双边内螺纹三通 FI×P×FI R×P×R		P.F-10	球阀 P×P		P.F-21
绕阻弯 P×P P×R		P.F-11	防电腐蚀接头 H-PXP		P.F-22

注：P—无螺纹外接口，MI—外螺纹外接口，FI—内螺纹外接口，R—异型规格，H—防电腐蚀接口。

3.9.2 当插锁式密封件采用三元乙丙橡胶或硅橡胶时，其性能应符合现行行业标准《橡胶密封件 给、排水管及污水管道用接口密封圈 材料规范》HG/T 3091(冷水)或《橡胶密封件——110℃热水供应管道的管接口密封圈——材料规范》HG/T 3097的规定。

3.9.3 插锁式管件塑料内胆材料采用无规共聚聚丙烯(PP-R)时，应符合现行行业标准《无规共聚聚丙烯(PP-R)塑铝稳态复合管》CJ/T 210的规定，当采用ABS材料时，应符合现行国家标准

《丙烯腈-丁二烯-苯乙烯(ABS)压力管道系统 第1部分:管材》GB/T 20207.1 的规定。

3.9.4 不锈钢管件及铜管件应采用不锈钢弹簧钢,插锁式管件其他钢卡簧采用弹簧钢。

3.9.5 管件各个部件和外壳均应配用无电化腐蚀材料或有防腐材料保护。

3.9.6 插锁式管件的承口规格尺寸应分别符合下列规定:

1 不锈钢插锁式管件应符合本规程附录 A 的规定;

2 不锈钢插锁式带塑内胆管件配内衬(覆)不锈钢管应符合本规程附录 C 的规定;

3 不锈钢插锁式带橡胶内托管件配内衬(覆)不锈钢管应符合本规程附录 B 的规定;

4 铜插锁式管件应符合本规程附录 B 的规定;

5 钢塑复合插锁式带塑内胆管件应符合本规程附录 C 的规定;

6 钢塑复合插锁式带橡胶内托管件应符合本规程附录 B 的规定;

7 球墨铸铁插锁式管件(含带橡胶内托管件)应符合本规程附录 D 的规定;

8 塑料插锁式管件应符合本规程附录 B 的规定;

9 镀锌插锁式带橡胶内托管件应符合本规程附录 B 的规定;

10 镀锌插锁式管件应符合本规程附录 B 的规定。

4 设 计

4.1 一般规定

4.1.1 插锁式管件的选用,应根据工程用途、建筑类型、输送介质、压力等级等因素综合确定。插锁式连接管道系统的管材和管件应配套使用。

4.1.2 插锁式不锈钢管道系统、铜管道系统、钢塑复合管道系统、镀锌管道系统、球墨铸铁管道系统及其他钢管管道系统 $DN15 \sim DN200$ 最大公称压力应为 $2.5MPa$,$DN250 \sim DN350$ 最大公称压力应为 $1.6MPa$。插锁式塑料管道系统,最大公称压力应为 $1.0MPa$。

4.1.3 插锁式管道系统工作温度应符合表 4.1.3 的规定。

表 4.1.3 插锁式管道系统工作温度

材 料	供水系统		太阳能及其他高温系统		备注
	长期工作温度	瞬时温度	长期工作温度	瞬时温度	介质温度
不锈钢管、铜管系统	0℃～100℃	120℃	120℃	150℃	—
碳钢、镀锌管系统	0℃～100℃	120℃	150℃	180℃	—
内衬内覆不锈钢管系统	0℃～100℃	—	—	—	—
钢塑复合管系统	0℃～40℃				
球墨铸铁管系统	0℃～40℃				
塑料管道系统	0℃～60℃	不大于 90℃			

注:塑料管材包括 PE、PEX、PP-R、ABS、PVC-C 和铝塑复合管。

4.1.4 不锈钢材、铜材、塑料材料的管材及管件可共在一个管道系统上使用,钢塑复合管材和管件与塑料管材和管件可共在同一个管道系统中使用;共在一个管道系统上使用时,其压力级别应相当。若不同材质连接有电腐蚀时,可用有防腐层的转接件连接。

4.1.5 管道各种材质的伸缩及补偿装置的设计和计算应按国家现行相关标准的现行规定执行。

4.1.6 给水管道的水力计算,应按现行国家标准《建筑给水排水设计规范》GB 50015 的相关规定执行。

4.2 管道的布置与敷设

4.2.1 插锁式管道系统的敷设方式应根据建筑的性质、使用要求、管道安装维护条件以及观感的要求确定。

4.2.2 室内管道可明装、暗敷和直埋。直埋可分嵌墙直埋和地坪面层内直埋。

4.2.3 直埋式敷设的管道、嵌墙或楼(地)面的垫层内敷设的管道,管道应水平或垂直布置在预留或开凿的凹槽内,管线在墙上凿槽前,应征得结构设计人员的同意,槽内布置的管材应采用卡件固定,嵌墙直埋的管道不宜大于 DN32,接头位置应设在便于维修处。

4.2.4 室内外直接埋地或埋墙敷设的薄壁不锈钢管等金属管,其外壁均应有覆塑、涂塑或外缠防腐胶带等防腐措施。直埋地的管道应有混凝土垔固定,并符合国家现行有关标准关于管道埋地的规定。

4.2.5 管道不应直接浇注在钢筋混凝土结构层内。

4.2.6 管道穿越承重墙或楼板时,应埋设塑料套管。穿楼板的套管应高出板面50mm,管道与塑料套管之间应采用防火阻燃材料填充。

4.2.7 当管道与金属管材、管件连接有产生化学腐蚀可能时,应采取防电化腐蚀的措施。

4.2.8 插锁式连接管道系统的敷设除应符合本规程的规定外,尚应符合现行国家标准《建筑给水排水设计规范》GB 50015 和《室外给水设计规范》GB 50013 的规定。

5 施工及验收

5.1 一般规定

5.1.1 薄壁不锈钢管管材和管件不应与水泥、砂浆、拌和混凝土直接接触。

5.1.2 管道安装工程暂停或完成后,管子敞口处应及时封堵。

5.1.3 当管道穿墙壁、楼板或嵌墙暗敷时,应配合土建工程预留孔、槽。留孔或开槽的尺寸宜符合下列规定:

    1 预留孔洞的尺寸宜比管外径大 50mm～100mm;

    2 嵌墙暗管的墙槽深度宜为管道外径加 20mm,宽度宜为管道外径加 20mm～30mm;

    3 对于公称尺寸 $DN15～DN32$ 的架空管道,管顶上部的净空距离应预留 30mm;对于公称尺寸 $DN40～DN150$ 的架空管道,管顶上部的净空距离应预留 45mm。

5.1.4 管道穿过地下室或地下构筑物外墙时,应采取严格的防水措施。

5.1.5 插锁式连接管道与阀门、水表、水嘴等的连接应采用转换接头,严禁在管材上套丝。

5.1.6 安装完毕的干管,不得有明显的起伏、弯曲等现象,管外壁应无损伤。

5.1.7 连接管道不得被攀踏、系安全绳、搁搭脚手架、用作支撑等。

5.1.8 管道不得作为接地极使用。

5.1.9 管道直埋在管与管件接口处,应加防污盖或采取相应的措施,避免污水由接口缝流进管件,造成对管件内部的腐蚀。

5.2 施 工 准 备

5.2.1 管道安装工程施工应具备下列条件：

1 施工设计图纸和其他技术文件齐全,经会审或审查,并已进行技术交底；

2 施工方案或施工组织设计已拟定；

3 材料、施工人员、施工机具等具备,能保证正常施工；

4 施工现场的用水、用电和材料贮放场地条件能满足需要；

5 提供的管材和管件符合国家现行有关产品标准,其实物与资料一致,并附有产品说明书和质量合格证书。

5.2.2 施工前应了解建筑物的结构,并根据设计图纸和施工方案制定与土建工程及其他工程的配合措施。安装人员应经专业培训。

5.2.3 对管材和管件的外观和接头应进行认真检查,管材、管件上的污物和杂质应及时清除。

5.3 管 道 敷 设

5.3.1 管道明装时,应在土建工程粉饰完毕后进行安装。安装前,应复核预留孔洞的位置正确。

5.3.2 热水管固定支架间距应根据管线热膨胀量、膨胀节允许补偿量等确定。固定支架宜设置在变径、分支、接口及穿越承重墙、楼板的两侧等处,其间距不宜超出 300mm。

5.3.3 不锈钢管支架的最大间距宜符合表 5.3.3-1 的规定；钢塑复合管、镀锌管支架的最大间距宜符合表 5.3.3-2 的规定；球墨铸铁管支架的最大间距宜符合表 5.3.3-3 的规定；塑料管支架的最大间距宜符合表 5.3.3-4 的规定。公称尺寸大于表内范围时,应按国家现行有关标准的规定执行。

表5.3.3-1 不锈钢管支架的最大间距（mm）

公称尺寸DN	15	20~25	32~50	65~125	150~200
水平管	1200	1800	2400	3000	3500
垂直管	1800	2400	3000	3500	4000

表5.3.3-2 钢塑复合管、镀锌管支架的最大间距（mm）

公称尺寸DN	15	20~25	32~50	65~125	150~200
水平管	1200	1800	2400	3000	3500
垂直管	1800	2400	3000	3500	4000

表5.3.3-3 球墨铸铁管支架的最大间距（mm）

公称尺寸DN	80~100	125~150	200
水平管	2400	3000	3500
垂直管	3000	3500	4000

表5.3.3-4 塑料管支架的最大间距（mm）

公称尺寸DN	15	20~25	32
水平管	600	1200	1500
垂直管	1200	1500	2000

5.3.4 不锈钢管公称尺寸不大于25mm的管道安装时，可采用不锈钢管卡或塑料管卡。当采用不锈钢以外的金属管卡或吊架时，金属管卡或吊架与管道之间应采用塑料带或橡胶等软物隔垫。钢塑复合管当采用不锈钢管卡时，管与管卡之间应采用塑料带或橡胶等软物隔垫。

5.3.5 在给水栓和配水点处应采用金属管卡或吊架固定；管卡或吊架宜设置在距配件500mm范围内。

5.3.6 对明装管道，其外壁距装饰墙面的距离：公称尺寸$DN15$~$DN25$时应为15mm；公称尺寸$DN32$~$DN65$时应为20mm。

5.3.7 管道穿过楼板时应设置套管，套管宜采用塑料管；当穿过屋面时应采用金属套管。套管应高出地面、屋面50mm，并采取严格的防水措施。

5.3.8 直埋及暗敷的管道，应在封蔽前做好试压和隐蔽工程的验收记录。在试压合格后，可采用M7.5水泥砂浆填补。

5.3.9 管道敷设时，不得有轴向弯曲或扭曲，穿过墙和楼板时不得强制校正。当与其他管道平行时，应按设计要求预留保护距离，当设计无规定时，排水管线与其他管道的净距不宜小于50mm。给水管道应满足施工安装维护要求。

5.4 管 道 连 接

5.4.1 管道系统的配管与连接应按下列步骤进行：

1 按设计图纸规定的平面和标高尺寸绘制实测施工图；

2 按实测施工图进行配管；

3 制定安装顺序，进行预装配。

5.4.2 配管应符合下列规定：

1 截管工具宜采用专用的电动切管机或手动切管器；

2 截管的端面应平整，并垂直于管轴线；

3 截管后，管端的内外毛刺宜采用工具去除干净。

4 断管后如管材内外表面有氧化色应使用砂布去除并清洗干净。

5.4.3 插锁式不锈钢管件安装、卸除应符合下列规定：

1 插锁式不锈钢管路系统安装前应仔细阅读管道安装说明书；然后按说明书中安装操作顺序及安装方法进行安装。

2 对于公称尺寸$DN15$～$DN65$插锁式不锈钢管件，其安装、卸除应按下列步骤进行：

1）用专用画线工具套入连接管内至工具底端，以色笔在画线工具的定位画线位置旋转画出定位线，管的插入深度应符合表5.4.3-1的规定。

表 5.4.3-1 插入深度 (mm)

公称尺寸 DN	15	20	25	32	40	50	65
管插入深度	25	27	31	34	38	45	50

2）用电动锯管工具或手动割管工具按断位位置把管子断开；

3）用电动工具或手动工具去毛刺、飞边，使断口平整光滑；

4）把管插入管件内至定位深度，即安装完成；

5）当需要卸除时，用专用卸管工具套，卡住管件的底部凹位及面端，把面端压下，就可把管拔出卸除；

6）当需重新安装时，应按本款第1～6项的步骤重做一次。

3 对于公称尺寸 DN80～DN350 的插锁式不锈钢管件，其安装、卸除应按下列步骤进行：

1）按表5.4.3-2管的插入深度，画一条插入深度定位线；

表 5.4.3-2 插入深度 (mm)

公称尺寸 DN	80	100	125	150	200	250	300	350
管插入深度	60	71	80	90	110	115	120	125

2）用电动锯管工具或手动割管工具按断位位置把管子断开；

3）用电动工具或手动工具去毛刺、飞边，使断口平整光滑；

4）用专用的电动压槽工具或手动压槽工具在管上压出一条小凹槽；

5）把已压好槽的管端插入管件内至定位深度，即安装完成；

6）当需要卸除时，应用专用卸管工具套圈分别卡住管件的底部凹位及面端，把面端压下，就可把管拔出卸除；

7）当需重新安装时，应按本款第1～6项的步骤重做一次。

5.4.4 插锁式铜管件安装、卸除应按下列步骤进行：

1 插锁式铜管路系统安装前应仔细阅读管道安装说明书，然后按说明书中安装操作顺序及安装方法进行安装。

2 应用专用画线工具套入连接管内至工具底端，以色笔在画线工具的定位画线位置旋转画出定位线，管的插入深度应符合表5.4.4的规定。

表 5.4.4 插入深度（mm）

公称尺寸DN	15	20	25	32	40	50	65	80	100
管插入深度	20	25	31	33	35	40	43	45	50

3 用电动锯管工具或手动割管工具按断位位置把管子断开；

4 用电动工具或手动工具去毛刺、飞边，使断口平整光滑；

5 把管子插入管件内至定位深度，即安装完成；

6 当需卸除时，对于公称尺寸$DN15\sim DN65$，用专用卸管工具套、卡住管件的底部凹位及面端，把面端压下，就可把管拔出卸除；对$DN80\sim DN100$，用专用卸管工具圈分别卡住管件的底部凹位及面端，把面端压下，就可把管拔出卸除；

7 当需要重新安装，应按本条第1～6款的步骤重做一次。

5.4.5 插锁式钢塑复合管件、镀锌管件、碳钢管件及配内衬（覆）不锈钢管管件（含：带橡胶内托管件及带塑内胆管件）安装、卸除应符合下列规定：

1 插锁式钢塑复合管路、镀锌管路、内衬（覆）不锈钢管路及其他钢管管路系统，安装前应仔细阅读管道安装说明书，然后按说明书中安装操作顺序及安装方法进行安装。

2 插锁式钢塑复合管件、镀锌管件、碳钢管件及配内衬（覆）不锈钢管管件安装、卸除应按下列步骤进行：

　　1) 对于公称尺寸$DN15\sim DN150$，用专用画线工具套入连接管内至工具底端，以色笔在画线工具的定位画线位置旋转画出定位线，管的插入深度应按表5.4.5-1确定；

表 5.4.5-1 插入深度（mm）

公称尺寸DN		15	20	25	32	40	50	65	80	100	125	150
管插入深度	无内托、带内胆	27	31	34	38	45	50	55	60	71	80	90
	有内托	24	28	31	35	42	46	51	56	67	75	85

2）用电动锯管工具或手动割管工具按断位位置把管断开；
3）用电动工具或手动工具去毛刺、飞边，使端口平整光滑；
4）把管插入管件内至定位深度，即安装完成；
5）当需要卸除时，对于公称尺寸 $DN15$~$DN65$ 应用专用卸管工具套，卡住管件的底部凹位及面端，把面端压下，即可把管拔出卸除；对于公称尺寸 $DN80$~$DN150$，应用专用卸管工具圈分别卡住管件的底部凹位及面端，把面端压下，即可把管拔出卸除；
6）当需重新安装时，应按本款第 1~5 项步骤重做一次。

3 插锁式钢塑复合管件、镀锌管件及配内衬（覆）不锈钢管管件安装、卸除应按下列步骤进行：

1）对于公称尺寸 $DN200$~$DN350$，应按表 5.4.5-2 管的插入深度，画一条插入深度定位线；

表 5.4.5-2 插入深度（mm）

公称尺寸DN		200	250	300	350
管插入深度	无内托	110	115	120	125
	有内托	104	109	114	118

2）用电动锯管工具或手动割管工具按断位位置把管子断开；
3）用电动工具或手动工具去毛刺、飞边使断口平整光滑；
4）用专用的电动压槽工具或手动压槽工具在管上压出一

条小凹槽；

5）把已压好槽的管端插入管件内至定位深度，即安装完成；

6）当需要卸除，用专用卸管工具套，卡住管件的底部凹位及面端，把面端压下，即可把管拔出卸除；

7）当需重新安装时，应按本款第1～6项的步骤重做一次。

5.4.6 插锁式球墨铸铁管件（含：带橡胶内托管件）安装、卸除应符合下列规定：

1 安装前应仔细阅读管道安装说明书，然后按说明书中安装操作顺序及安装方法进行安装。

2 插锁式球墨铸铁管件安装、卸除应按下列步骤进行：

1）对于公称尺寸 $DN80$～$DN150$，应用专用画线工具套入连接管内至工具底端，以色笔在画线工具的定位画线位置旋转画出定位线，管的插入深度应符合表5.4.6-1的规定；

表 5.4.6-1 插入深度 (mm)

公称尺寸 DN		80	100	150
管插入深度	无内托	80	85	90
	有内托	76	80	84

2）用电动锯管工具或手动割管工具按断位位置把管断开；

3）用电动工具或手动工具将管端口去毛刺、飞边，使断口平整光滑；

4）把管插入管件内至定位深度，即安装完成；

5）当需要卸除时，用专用卸管工具套，卡住管件的底部凹位及面端，把面端压下，即可把管拔出卸除；

6）当需重新安装时，应按本款第1～6项的步骤重做一次。

3 插锁式球墨铸铁管件安装、卸除应按下列步骤进行：

1）对于公称尺寸 $DN200$～$DN350$，应按表5.4.6-2管的插入深度，画一条插入深度定位线；

表 5.4.6-2　插入深度（mm）

公称尺寸 DN		200	250	300	350
管插入深度	无内托	100	105	110	115
	有内托	92	97	102	106

  2）用电动锯管工具或手动割管工具按断位位置把管断开；

  3）用电动工具或手动工具将管端口去毛刺、飞边，使端口平整光滑；

  4）用专用的电动压槽工具或手动压槽工具在管上压出一条小凹槽，并在凹槽内涂上防腐油漆；

  5）把已压好槽的管端插入管件内至定位深度，即安装完成；

  6）当需要卸除时，用专用卸管工具套圈分别卡住管件的底部凹位及面端，把面端压下，即可把管拔出卸除；

  7）当需重新安装时，应按本款第1～6项的步骤重做一次。

5.4.7 插锁式塑料管件安装、卸除应按下列步骤进进：

  1 插锁式塑料管路系统安装前应仔细阅读管道安装说明书，然后按说明书中安装操作顺序及安装方法进行安装；

  2 用专用画线工具套入连接管内至工具底端，以色笔在画线工具的定位画线位置旋转画出定位线，管的插入深度应符合表5.4.7的规定；

表 5.4.7　插入深度（mm）

公称尺寸 DN	20	25	32
管插入深度	27	31	34

  3 用工具按断位位置把管子断开；

  4 把管插入管件内至定位深度，即安装完成；

  5 当需卸除时，应用专用卸管工具套，卡住管件的底部凹位及面端，把面端压下，即可把管拔出卸除；

  6 当需要重新安装，应按本条第1～6款的步骤重做一次。

5.4.8 $DN15 \sim DN50$ 插锁式连接有接头可有 15°的偏角范围，$DN65 \sim DN200$ 插锁式连接接头可有 10°的偏角范围，$DN250 \sim DN350$ 插锁式连接接头可有 5°的偏角范围。

5.5 验 收

5.5.1 插合自锁卡簧式管道系统应根据工程性质和地点进行分部验收和竣工验收。

5.5.2 插合自锁卡簧式管道工程验收应按现行协会标准《建筑给水薄壁不锈钢管管道工程技术规程》CECS 153 的有关规定执行。

6 管道维修

6.0.1 管道维修时,应先排水干净,减除内压,再用专用工具把需要维修部位卸除更换。

6.0.2 管道维修时,若因场地原因管道无法移动时,可用工具锯断需要维修部分,拆除后用双向伸缩活接进行接驳(图6.0.2)。

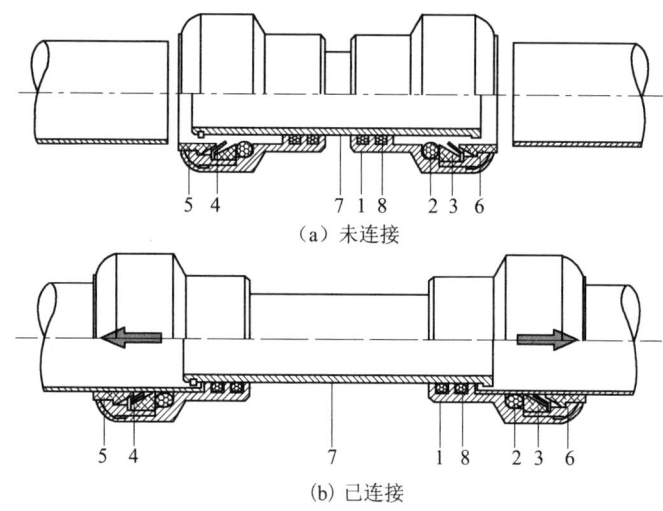

(a)未连接

(b)已连接

图6.0.2 双向接驳伸缩图
1—外壳;2—密封圈;3—定位圈;4—钢卡簧圈 5—卸管器圈;
6—外定位套圈;7—活动调节管;8—调节密封圈

6.0.3 管道维修时,当管件已使用了较长时间时,应更换密封圈。

附录 A 不锈钢插锁式管件

A.0.1 DN15~DN150 Ⅰ系列及Ⅱ系列插锁式管件承口(图 A.0.1)规格尺寸应符合表 A.0.1 的规定。

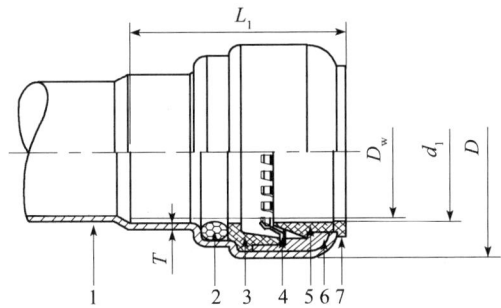

图 A.0.1 DN15~DN150 Ⅰ系列及Ⅱ系列插锁式管件结构及承口
1—外壳;2—密封圈;3—定位圈;4—钢卡簧圈;5—卸管器圈;
6—外定位套圈;7—直埋防污盖

表 A.0.1 DN15~DN150 Ⅰ系列及Ⅱ系列不锈钢管用插锁式管件承口规格尺寸（mm）

公称尺寸 DN	管外径 D_w		壁厚 T	承口端内径 d_1		承口端外径 D		承口长度 L_1
	Ⅰ	Ⅱ		Ⅰ	Ⅱ	Ⅰ	Ⅱ	
15	16	15	0.8	16.3	15.25	26	25.7	25
20	20	22	1	20.3	22.3	32	33.5	27
25	25	28	1	25.35	28.3	38	4.1	30
32	32	35	1.2	32.4	35.4	46	50	32
40	40	42	1.2	40.4	42.5	54	58	37

续表 A.0.1

公称尺寸 DN	管外径 D_w		壁厚 T	承口端内径 d_1		承口端外径 D		承口长度 L_1
	Ⅰ	Ⅱ		Ⅰ	Ⅱ	Ⅰ	Ⅱ	
50	50.8	54	1.5	51.25	54.5	67	72.7	39
65	65.5	66.7	2	64	67.2	82	86	40
80	76	76.1	2	76.5	76.6	95.5	95.5	46
100	101.6	108	2.5	102.2	108.6	124	130	97
125	125	125	3	125.7	125.7	148	149	80
150	159	159	3.5	159.8	159.8	186	188	99

A.0.2 DN200～DN350Ⅰ系列不锈钢管用插锁式管件承口(图A.0.2)规格尺寸应符合表 A.0.2 的规定。

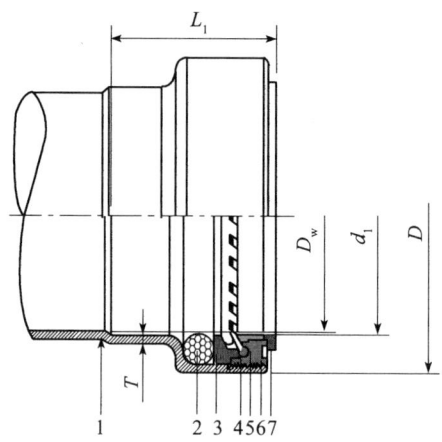

图 A.0.2 DN200～DN350Ⅰ系列不锈钢管用插锁式管件结构及承口
1—外壳;2—密封圈;3—定位圈;4—钢卡簧圈;5—卸管器圈;
6—外定位套圈;7—直埋防污盖

表 A.0.2 DN200~DN350 Ⅰ 系列不锈钢管用插锁式管件承口规格尺寸（mm）

公称尺寸 DN	管外径 D_w	壁厚 T	承口端内径 d_1	承口端外径 D	承口长度 L_1
200	219	5	220	260	110
250	273.1	5.5	274.1	321	115
300	323.9	6	325	377	120
350	355.6	6.5	357	414	125

附录 B 其他插锁式管件(含带橡胶内托管件)

B.0.1 DN15～DN150 钢塑复合管、双金属管、镀锌管、碳钢管配用相应材质的插锁式管件(含带橡胶内托管件)的承口规格尺寸应符合表 B.0.1-1 的规定;DN15～DN100 铜管用插锁式管件承口规格尺寸应符合表 B.0.1-2 的规定;DN15～DN25 塑料管用插锁式管件承口规格尺寸应符合表 B.0.1-3 的规定。(图 B.0.1)

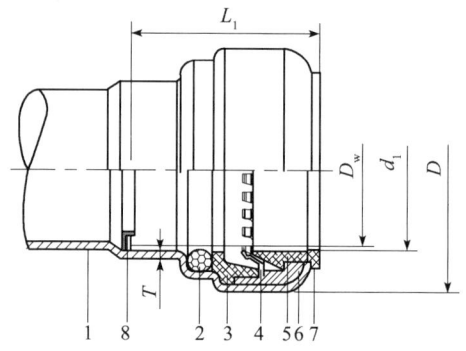

图 B.0.1 DN15～DN150 钢塑复合管、双金属管、镀锌管、碳钢管、
DN15～DN100 紫铜管、DN15～DN25 塑料管用插锁式
管件结构及承口(不需橡胶内托密封可减除)

1—外壳;2—密封圈;3—定位圈;4—钢卡簧圈;5—卸管器圈;
6—外定位套圈;7—直埋防污盖;8—橡胶内托

表 B.0.1-1　DN15～DN150 钢塑复合管、双金属管、镀锌管、碳钢管配用相应材质的插锁式管件(含带橡胶内托管件)的承口规格尺寸 (mm)

公称尺寸 DN	管外径 D_w	壁厚 T	承口端内径 d_1	承口端外径 D	承口长度 L_1 无内托	承口长度 L_1 有内托
15	21.3	1.5	21.6	33.8	27	24
20	26.9	1.5	27.25	40	31	28
25	33.7	1.5	34.1	48	34	31
32	42.4	1.5	42.8	56	38	35
40	48.3	1.5	48.75	65	45	42
50	60.3	1.8	60.8	79	50	46
65	76.1	2	76.6	95.5	55	51
80	88.9	2.2	89.5	109	60	56
100	114.3	2.5	114.9	137	71	67
125	139.7	3	140.4	164	80	75
150	168.3	4	169.1	195	90	85

表 B.0.1-2　DN15～DN100 铜管用插锁式管件承口规格尺寸 (mm)

公称尺寸 DN	管外径 D_w	壁厚 T	承口端内径 d_1	承口端外径 D	承口长度 L_1
15	15	1.5	15.25	26	20
20	22	1.5	22.3	34	25
25	28	1.7	28.4	42	31
32	35	1.7	35.4	51	33
40	42	2.2	42.45	60	35
50	54	3	54.45	72	40
65	66.7	3.2	67.3	90	43
80	76.1	3.2	76.7	100	45
100	108	4	108.8	136	50

表 B.0.1-3 DN15～DN25 塑料管用插锁式管件承口规格尺寸（mm）

公称尺寸 DN	管外径 D_w	壁厚 T	承口端内径 d_1	承口端外径 D	承口长度 L_1
15	20	2.3	22	34	29
20	25	2.8	28	42	32
25	32	3.6	34	51	35

B.0.2 DN200～DN350 钢塑复合管、双金属管、镀锌管、碳钢管用相应材质的插锁式管件的承口（图 B.0.2）规格尺寸应符合表 B.0.2 的规定。

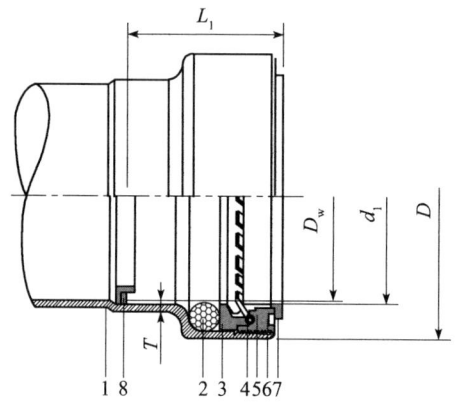

图 B.0.2 DN200～DN350 钢塑复合管、双金属管、镀锌管、
碳钢管用相应材质的插锁式管件结构及承口
（不需要橡胶内托密封可减除）
1—外壳；2—密封圈；3—定位圈；4—钢卡簧圈；
5—卸管器圈；6—外定位套圈；7—直埋防污盖；
8—橡胶内托

表 B.0.2 DN200~DN350 钢塑复合管、双金属管、镀锌管、碳钢管配用相应材质的插锁式管件(含带橡胶内托管件)的承口基本尺寸 (mm)

公称尺寸 DN	管外径 D_w	壁厚 T	承口端内径 d_1	承口端外径 D	承口长度 L_1 无内托	承口长度 L_1 有内托
200	219.1	5	220	260	110	104
250	273.1	5.5	274.1	321	115	109
300	323.9	6	325	377	120	114
350	355.6	6.5	357	414	125	118

附录 C 插锁式带塑内胆管件

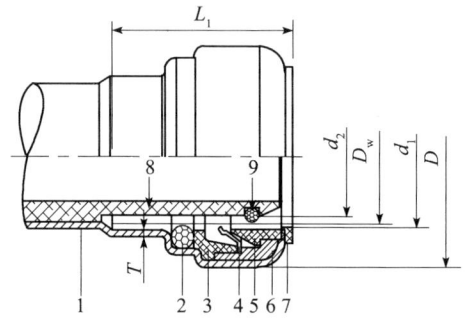

图 C DN15～DN150 钢塑复合管、双金属管、镀锌管、碳钢管配用
相应材质的插锁式带塑内胆管件结构及承口

1—外壳；2—密封圈；3—定位圈；4—钢卡簧圈；5—卸管器圈；
6—外定位套圈；7—直埋防污盖；8—塑内胆；9—内密封圈

表 C DN15～DN150 插锁式带塑内胆管件的承口规格尺寸（mm）

公称尺寸 DN	管外径 D_w	壁厚 T	承口端内径 d_1	承口端内径 d_2	承口端外径 D	承口长度 L_1
15	21.3	1.5	21.6	18.3	33.8	27
20	26.9	1.5	27.25	23.9	40	31
25	33.7	1.5	34.1	30.7	48	34
32	42.4	1.5	42.8	39.4	56	38
40	48.3	1.5	48.75	45.3	65	45
50	60.3	1.8	60.8	56.7	79	50
65	76.1	2	76.6	72.1	95.5	55
80	88.9	2.2	89.5	84.5	109	60
100	114.3	2.5	114.9	109.3	137	71
125	139.7	3	140.4	133.7	164	80
150	168.3	4	169.1	160.3	195	90

附录D 球墨铸铁插锁式管件

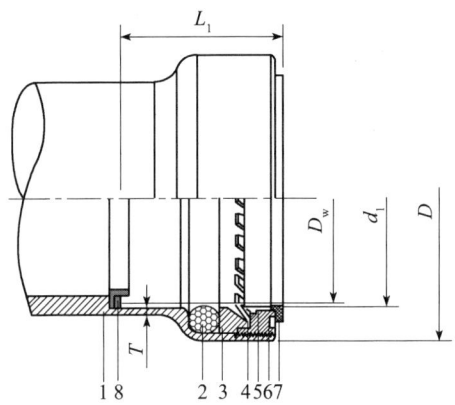

图 D DN80~DN350 球墨铸铁插锁式管件
（含带橡胶内托管件）的结构及承口

1—外壳；2—密封圈；3—定位圈；4—钢卡簧圈；5—卸管器圈；
6—外定位套圈；7—直埋防污盖；8—橡胶内托

表 D.0.1 DN80~DN350 球墨铸铁插锁式管件
（含带橡胶内托管件）的承口规格尺寸（mm）

公称尺寸 DN	管外径 D_w	壁厚 T	承口端内径 d_1	承口端外径 D	承口长度 L_1 无内托	承口长度 L_1 有内托
80	98	5	98.8	101.5	80	76
100	118	5	119	129	85	80
125	144	6	145	154	90	84
150	170	6	171	190	95	88
200	220	6	221	262	100	92
250	274	6.5	275	323	105	97
300	326	7.5	327	380	110	102
350	378	8.5	379	418	115	106

本规程用词说明

1 为便于在执行本规程条文时区别对待,对要求严格程度不同的用词说明如下:

 1)表示很严格,非这样做不可的:
  正面词采用"必须",反面词采用"严禁";
 2)表示严格,在正常情况下均应这样做的:
  正面词采用"应",反面词采用"不应"或"不得";
 3)表示允许稍有选择,在条件许可时首先应这样做的:
  正面词采用"宜",反面词采用"不宜";
 4)表示有选择,在一定条件下可以这样做的,采用"可"。

2 条文中指明应按其他有关标准执行的写法为:"应符合……的规定"或"应按……执行"。

引用标准名录

《室外给水设计规范》GB 50013
《建筑给水排水设计规范》GB 50015
《低压流体输送用焊接钢管》GB/T 3091
《自动喷水灭火系统 第19部分 塑料管道及管件》GB 5135.19
《流体输送用不锈钢焊接钢管》GB/T 12771
《水及燃气用球墨铸铁管、管件和附件》GB/T 13295
《给水用聚乙烯(PE)管材》GB/T 13663
《无缝钢管尺寸、外形、重量及允许偏差》GB/T 17395
《无缝铜水管和铜气管》GB/T 18033
《冷热水用交联聚乙烯(PE-X)管道系统 第2部分:管材》GB/T 18992.2
《铝塑复合压力管 第1部分:铝管搭接焊式铝塑管》GB/T 18997.1
《丙烯腈-丁二烯-苯乙烯(ABS)压力管道系统 第1部分:管材》GB/T 20207.1
《不锈钢和耐热钢 牌号及化学成分》GB/T 20878
《焊接钢管尺寸及单位长度重量》GB/T 21835
《钢塑复合管》GB/T 28897
《无规共聚聚丙烯(PP-R)塑铝稳态复合管》CJ/T 210
《橡胶密封件 给、排水管及污水管道用接口密封圈 材料规范》HG/T 3091
《橡胶密封件——110℃热水供应管道的管接口密封圈——材料规范》HG/T 3097
《建筑给水薄壁不锈钢管管道工程技术规程》CECS 153

中国工程建设协会标准

插合自锁卡簧式管道连接
技术规程

CECS 383：2015

条文说明

目　次

1 总　　则 …………………………………………………（43）
2 术　　语 …………………………………………………（44）
4 设　　计 …………………………………………………（45）
　4.1 一般规定 ……………………………………………（45）
　4.2 管道的布置与敷设 …………………………………（45）
5 施工及验收 ………………………………………………（46）
　5.1 一般规定 ……………………………………………（46）
　5.2 施工准备 ……………………………………………（46）
　5.3 管道敷设 ……………………………………………（46）
　5.4 管道连接 ……………………………………………（46）
6 管道维修 …………………………………………………（47）

1 总　　则

1.0.2 本条规定了插锁式连接管道的适用范围。采用这种连接方式的管道可以大量节省材料及可循环使用、不造成浪费,充分体现环保理念,达到合理用材及节省人力资源的效果,同时彻底解决了管切口不会接触到管内流体的问题,确保管切口不腐蚀生锈、水不被二次污染,提高了管道系统的卫生性和安全性。该连接技术广泛应用于建筑给排水、热水、消防、工业等管道系统,也可以用于低压气体输送系统。基于以下材质之间不受电化腐蚀影响质量,所以允许不同的材料－不锈钢管和管件、铜管和管件、塑料管和管件均可应用在同一个管道系统上,钢塑复合管和管件与塑料管和管件之间亦可共同应用在同一个管道系统上。当管的壁厚增加比推荐使用壁厚高并超出管件壁厚时,管件壁厚可跟随管的壁厚适当增加,满足管道系统的设计要求。在管道维修方面,可使用双向活接管件,在管道位置不能移动的情况下,也可进行更换接驳,解决了场地限制等问题。在管材外径规格方面,不锈钢管道推出 II 系列、欧盟标准 BS/EN 与国际接轨,管材通径壁厚执行国家标准《流体输送用不锈钢焊接钢管》GB/T 12771 的规定。在管道系统的长期工作压力方面,随着对管道系统的要求日益提高,包括高层楼房建筑的压力要求增加,插锁式管道系统的长期工作压力的设计标准亦增加至 2.5MPa,适应发展的需要。

1.0.4 本规程规定了在设计、施工及验收等各个环节除应执行本规程规定外,还应符合国家现行标准的规定。如:《建筑给水排水设计规范》GB 50015、《建筑给水排水及采暖工程施工质量验收规范》GB 50242、《建筑给水排水薄壁不锈钢管连接技术规程》CECS 277、《自动喷水灭火系统设计规范》GB 50084、《自动喷水灭火系统施工及验收规范》GB 50261 等。

2 术 语

2.0.1 插合自锁卡簧式连接方式是一种快速便捷、无需专业安装技术、一插完成、拆卸方便、管材管件可重复使用的新型连接技术。

2.0.2 插合自锁卡簧式管件按管道材质的不同,可分为不锈钢管件、铜管件、复合管件、球墨铸铁管件、镀锌管件和塑料管件及其他管件。

4 设 计

4.1 一 般 规 定

4.1.3 用于建筑工程的管道,需针对在建筑工程中的用途进行选择。不同材料的热稳定性有很大差异,适用温度范围亦不同,所以对使用温度做了一定的限制以保障安全。

4.1.4 基于不锈钢材、铜材、塑料材料不受电化腐蚀影响,故这些管材及管件可共在一个管道系统上使用;钢塑复合管材和管件与塑料管材和管件不受电化腐蚀影响,同样可混合在同一个管道系统中使用。

4.2 管道的布置与敷设

4.2.2 本条不锈钢管道、铜管道、钢塑复合管道、球铁管道、镀锌管道及塑料管道都可明装及隐蔽式暗敷,亦可室内外直埋。

4.2.2 由于多种原因,管道不能与建筑物寿命同步,同时还有维修问题,故不提倡直接浇注在结构层内。如果不可避免,应征得结构设计人员的同意,以保证建筑物安全。

4.2.6 管道穿越承重墙或楼板时,应预埋带防水翼环的塑料套管,套管与管材之间用聚氨脂材料填充封闭。

5 施工及验收

5.1 一般规定

5.1.1 由于水泥、砂浆混凝土,常添加防冻剂、添加剂、助凝剂等,这些添加剂含有高浓度的氯化物,会对管道产生腐蚀,因此,薄壁不锈钢管材和管件不应与水泥、砂浆、混凝土直接接触。

5.1.3 管道暗敷时,尽量避免现场开墙,凿洞,要求配合土建施工时预留孔洞、沟槽。

5.2 施工准备

5.2.1 管道施工必须作好规程提及的充分准备,以免不必要的返工或停工待料。

5.2.2 对安装人员培训上岗,是保证施工质量的关键。

5.3 管道敷设

5.3.1~5.3.5 管道敷设中要作好支、吊架,以免管道承受不必要的外力。支、吊架材料可为不锈钢、塑料或其他金属,但如有对管道有电化学腐蚀的,应在管道与支、吊架间隔垫塑料或橡胶,保护管道不受电化腐蚀的伤害。

5.4 管道连接

5.4.1~5.4.7 条文明确插锁式连接管件安装简单一插完成及可重复安装使用。

6 管 道 维 修

6.0.2 在管道维修方面,可使用双向伸缩活接头,解决因场地位置限制原因造成管道不能移动、难以更换接驳的问题。